Cam and Kat

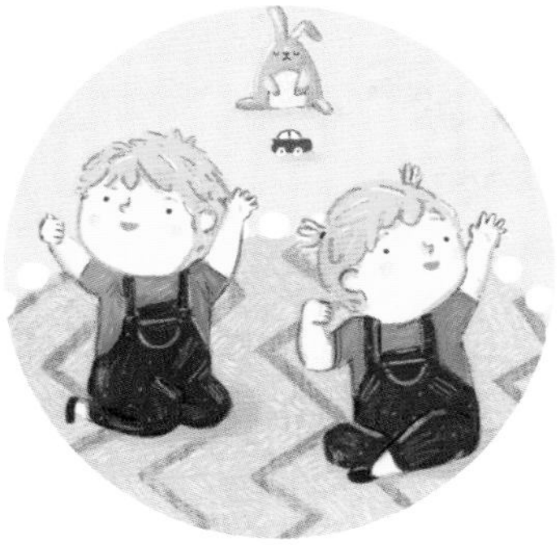

Kasia Reay

Illustrated by Lisa Molloy

Schofield&Sims

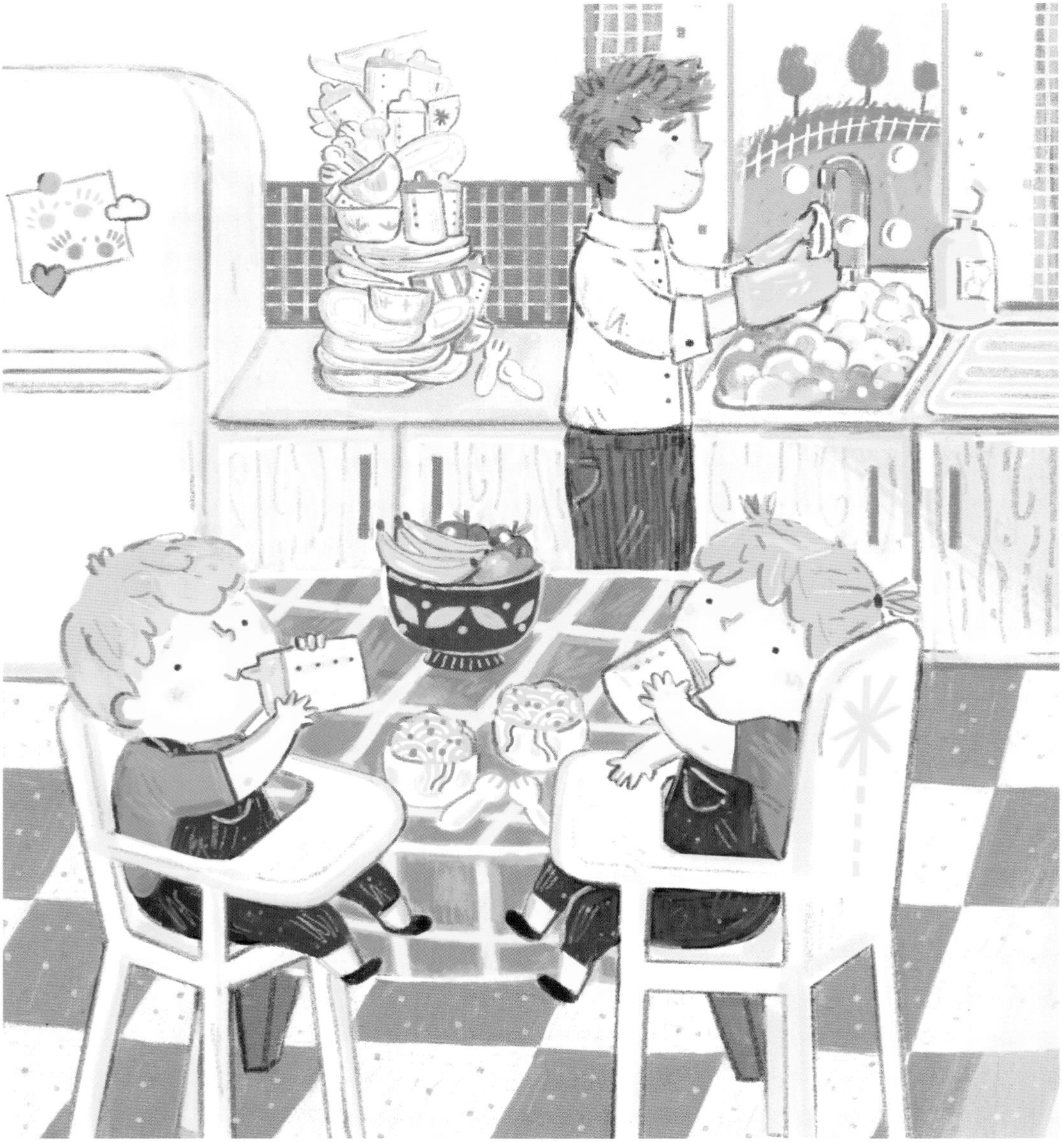

Cam and Kat sip.

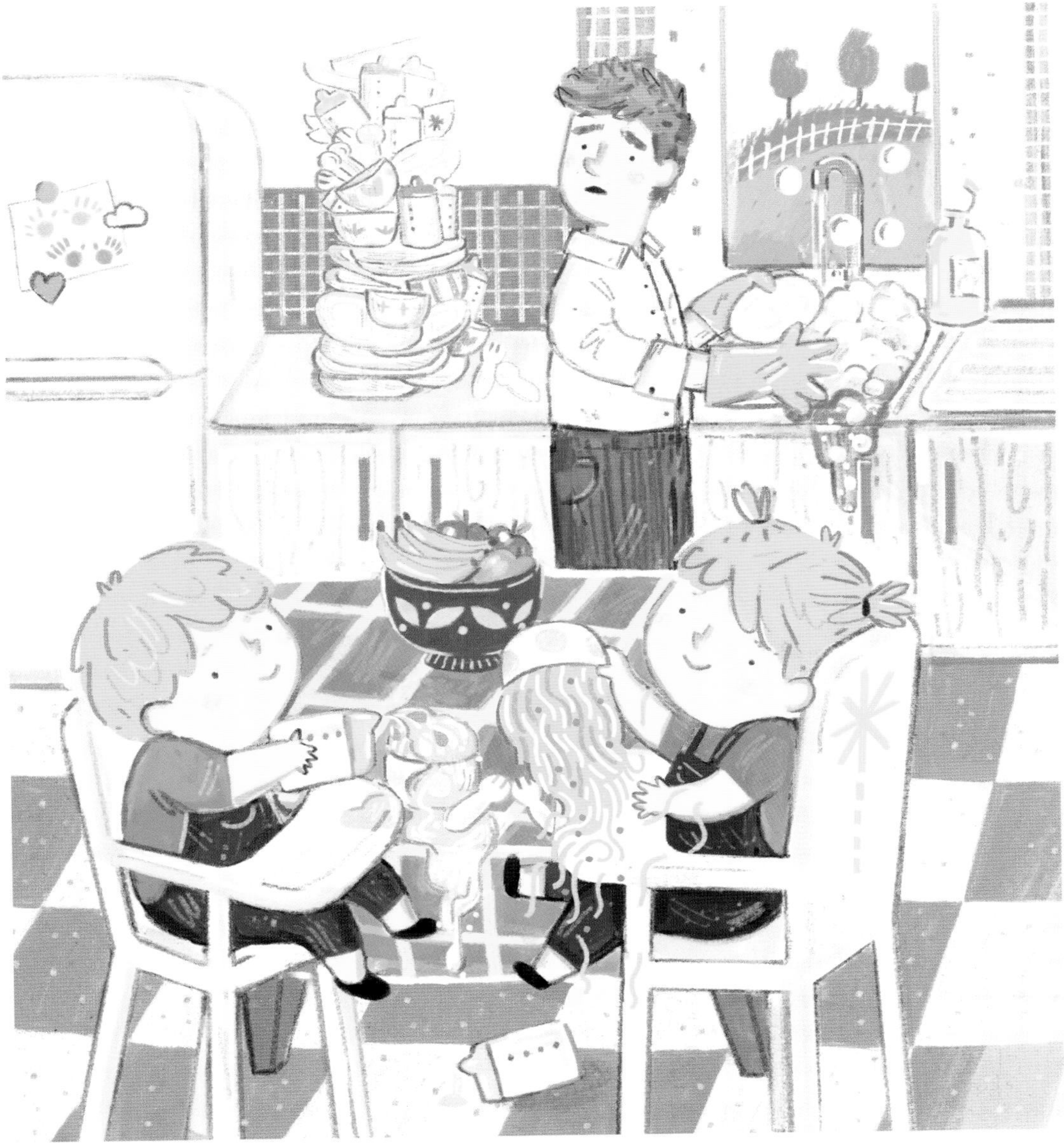

Cam and Kat tip.

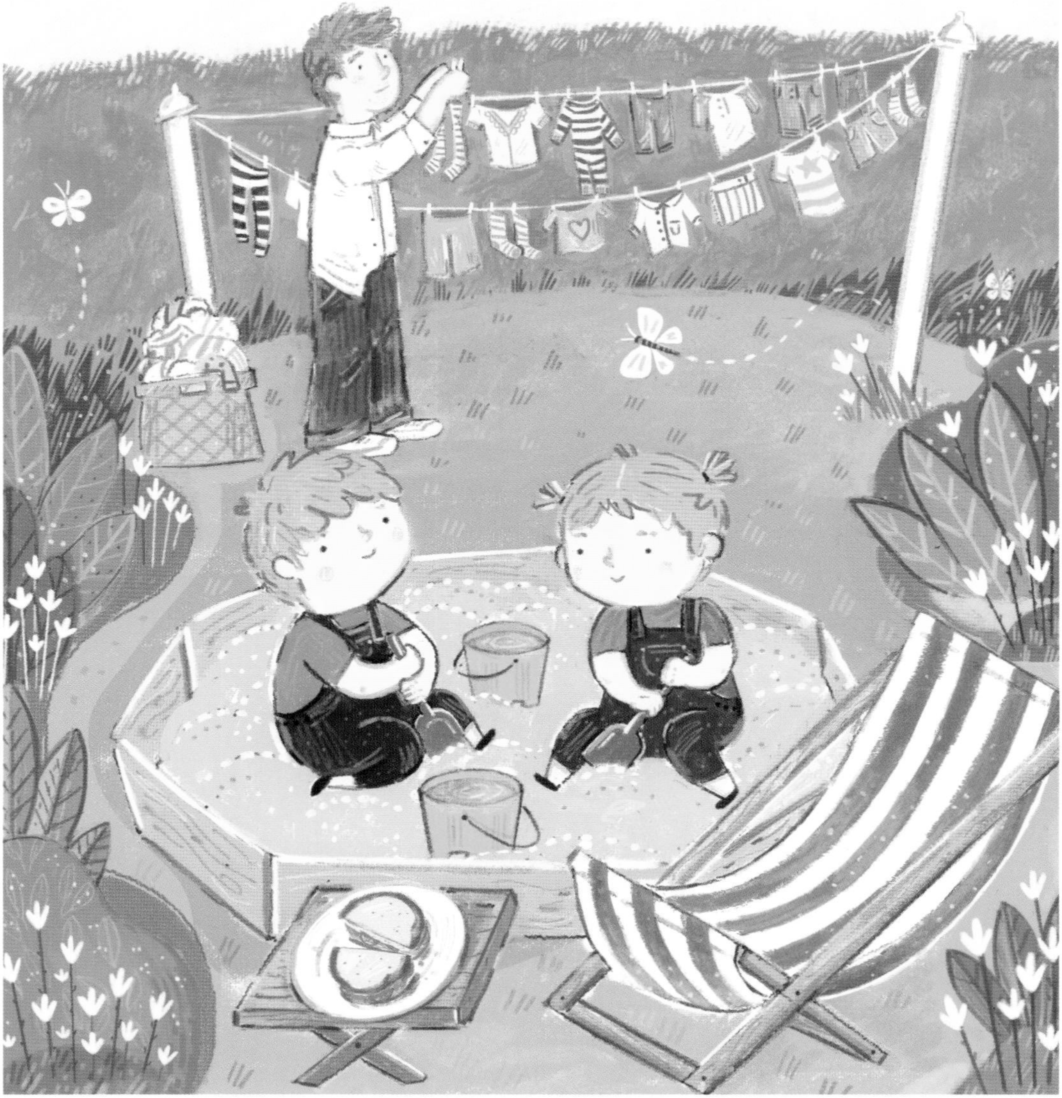

Cam and Kat dig.

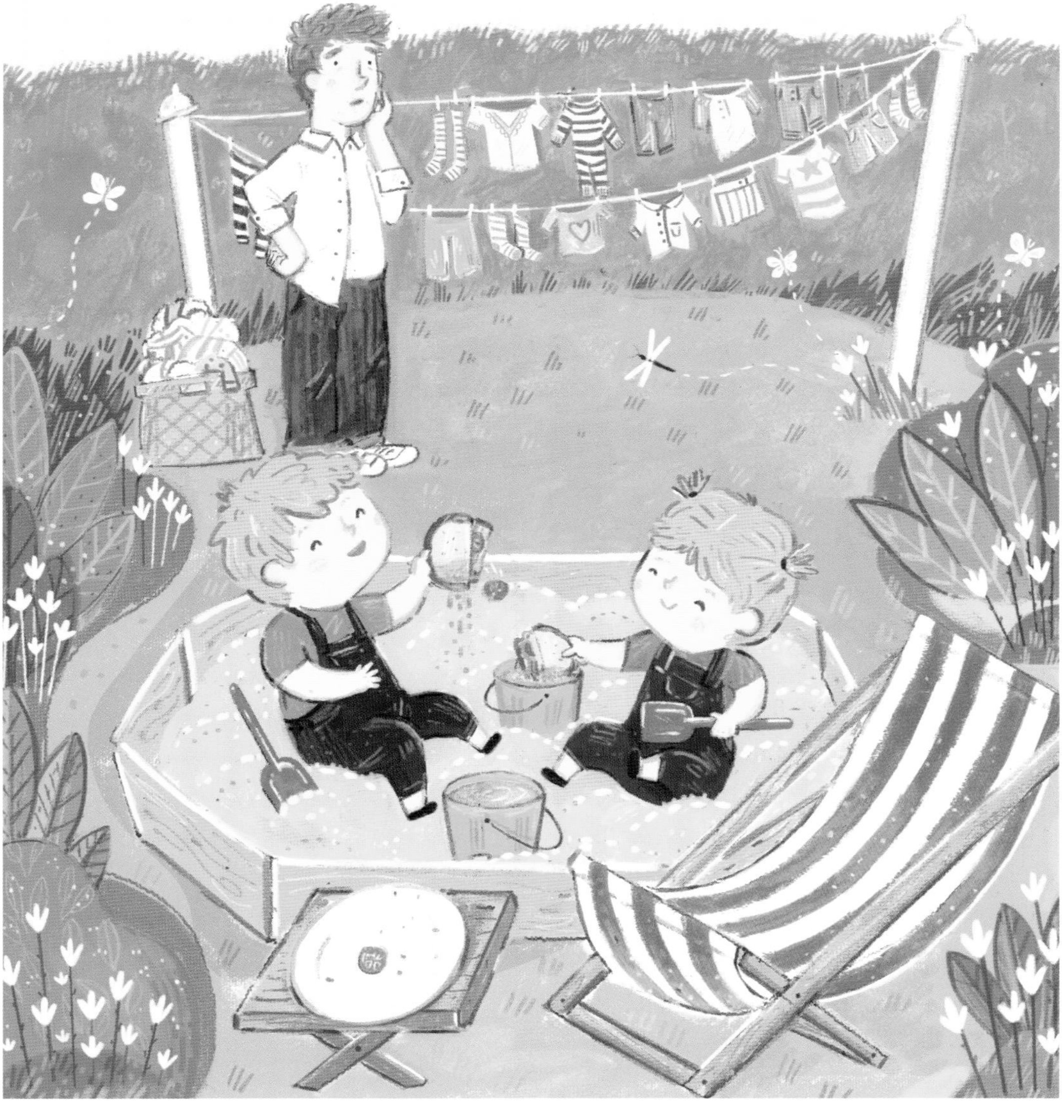

Cam and Kat dip.

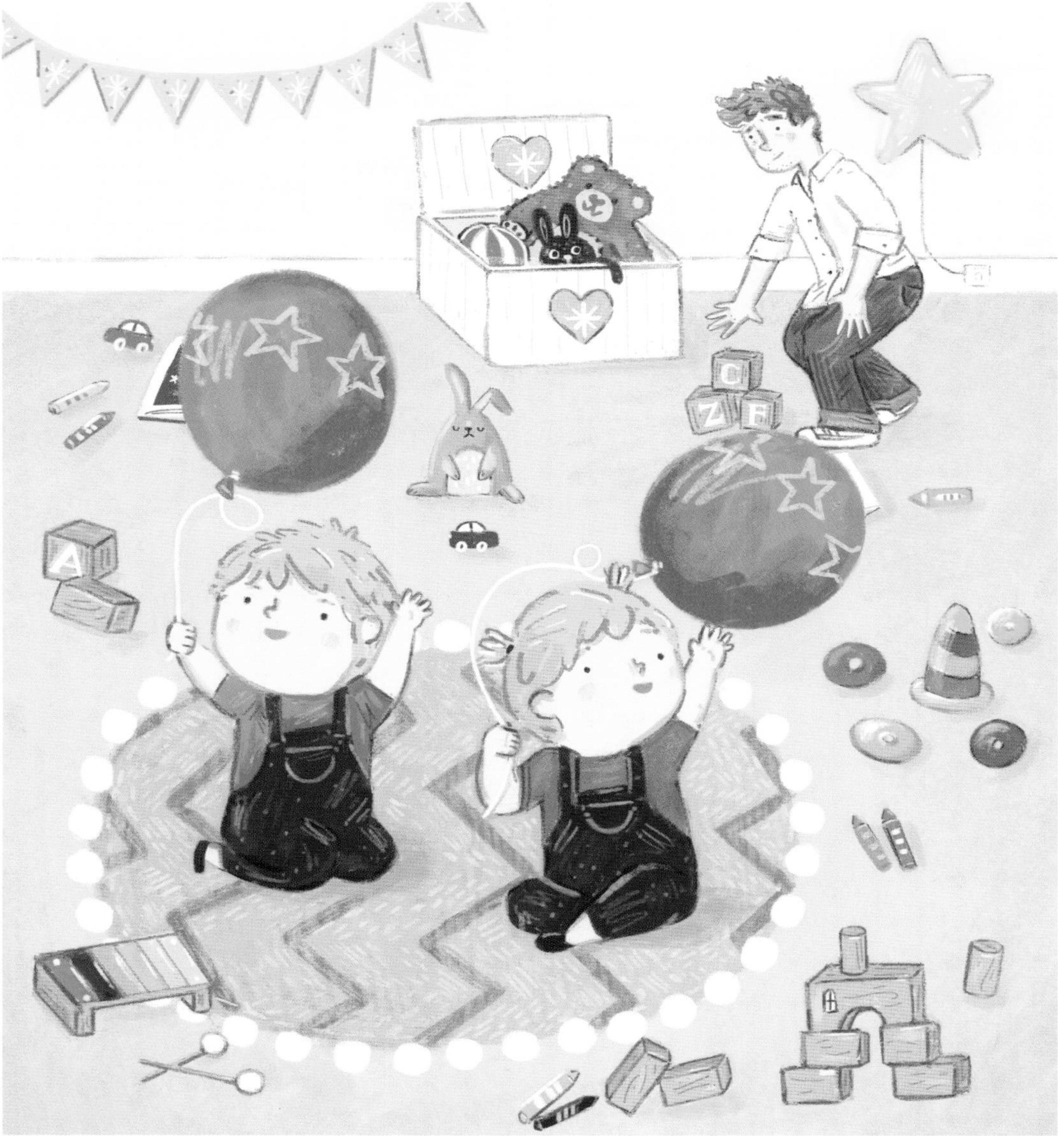

Cam and Kat tap.

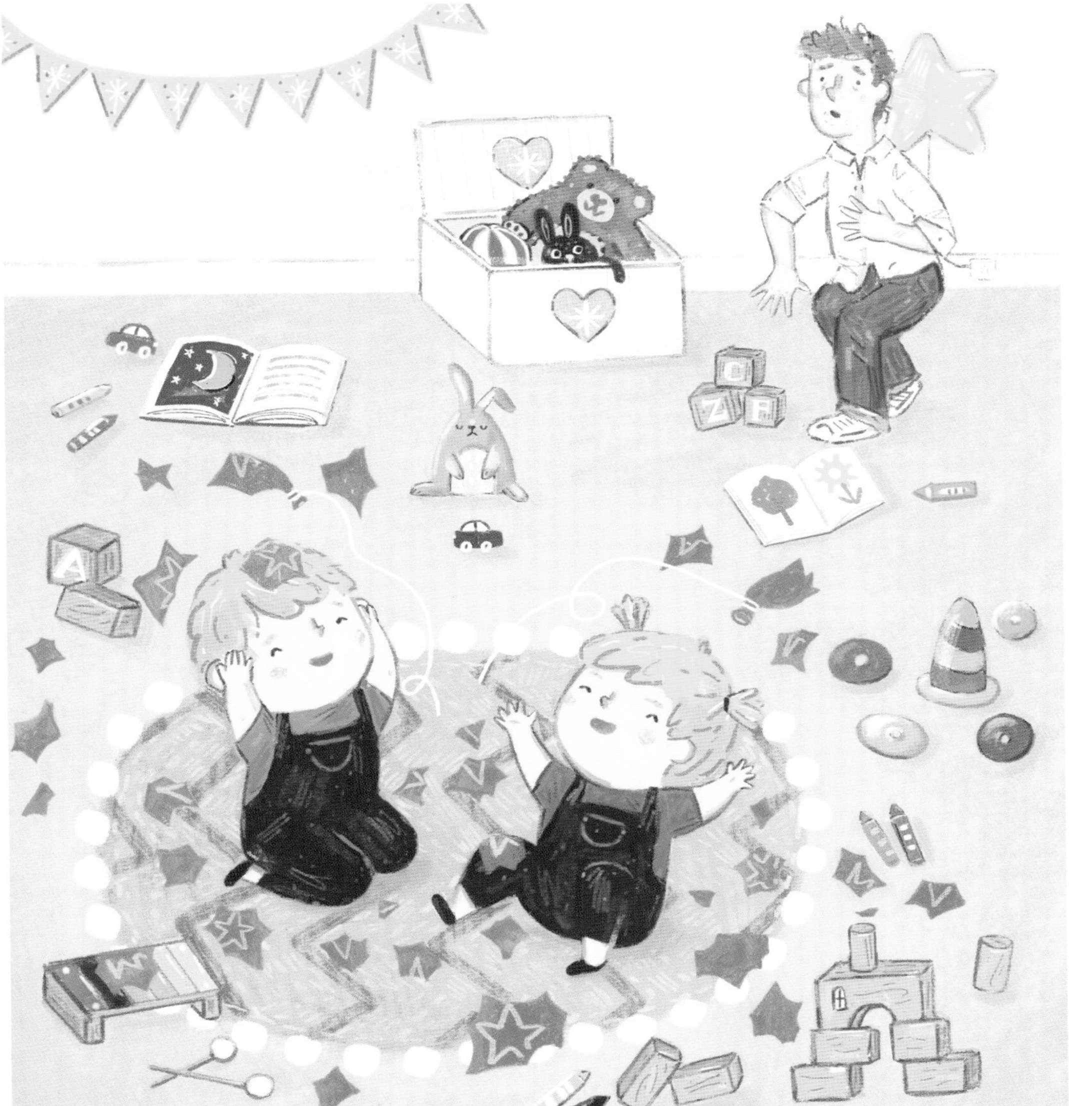

Cam and Kat pop.

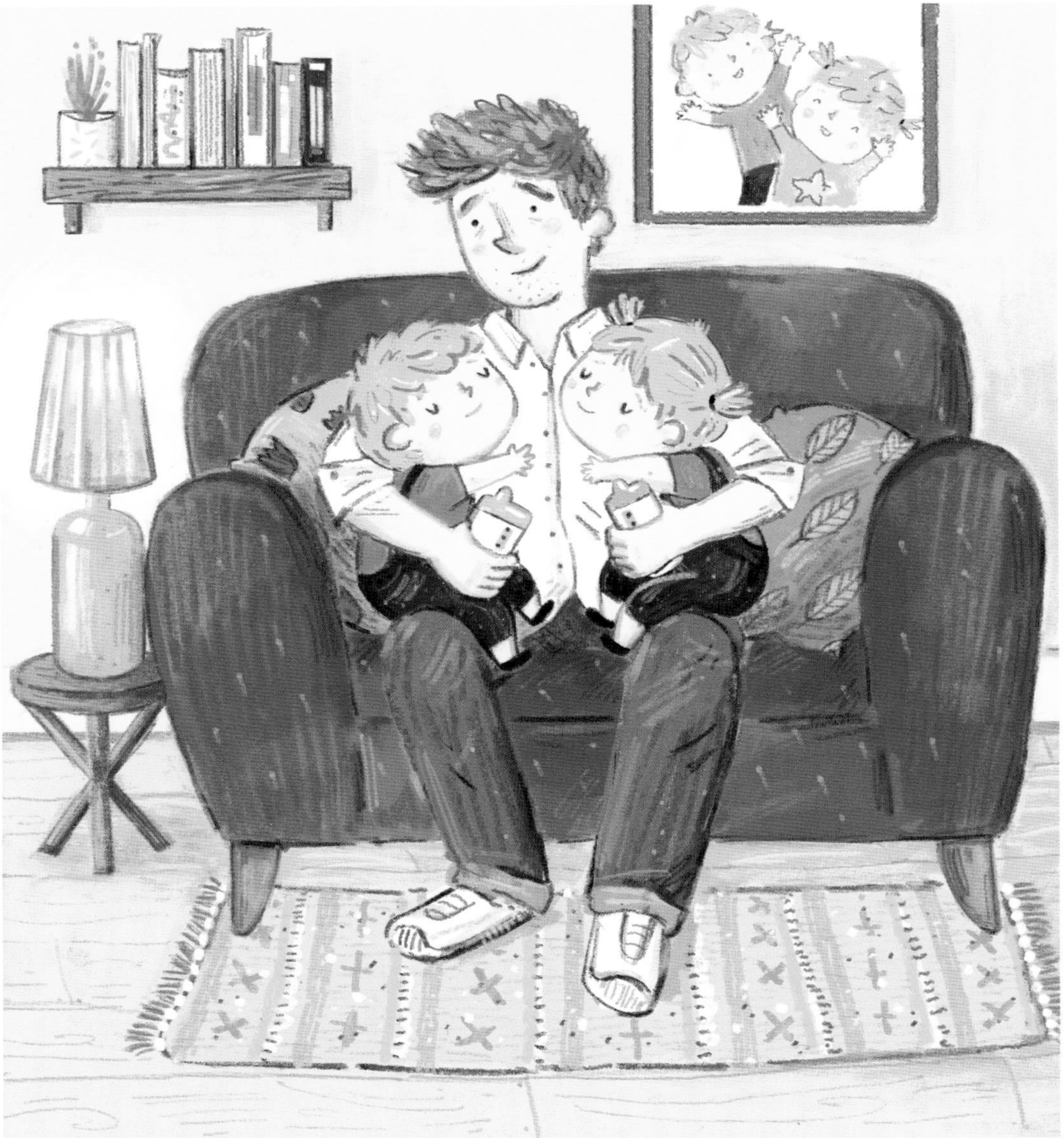

Cam and Kat nap.